Czesław Janczarski

Miś Uszatek

Ilustrował
Zbigniew Rychlicki

NASZA KSIĘGARNIA

Projekt okładki
Maciej Szymanowicz

Piosenki Misia Uszatka zostały zaczerpnięte z książki
Czesława Janczarskiego
Zaczarowane kółko Misia Uszatka

Przygody i wędrówki
Misia Uszatka

Piosenka Misia Uszatka

Słonko świeci dla wszystkich

Słonko świeci dla wszystkich:
dla dużych i małych,
dla śniadych, piegowatych,
dla czarnych i białych.

Dla motyli i kwiatów,
wróbli i słowików.
A nawet dla ślimaka
i dla ryb w strumyku.

Słonko ogrzewa wszystkich:
Dorotkę na piasku
i kota na balkonie,
zgrabną sarnę w lasku.

Ogrzewa w polu zboże
i rzekę, co płynie.
Nawet trzmiela, co właśnie
siadł na koniczynie.

Słonko świeci i grzeje,
i rozprasza cienie.
Jakże jasne i ciepłe
są jego promienie!

W sklepie z zabawkami

Był sobie sklep z zabawkami. W sklepie na półce stały i siedziały pluszowe misie.

Między nimi był jeden Miś, który już bardzo długo siedział na półce.

Inne misie wędrowały do rąk dzieci. Wychodziły z nimi uśmiechnięte ze sklepu. A o tego Misia nikt nie pytał. Może dlatego, że stał w kąciku.

Martwił się Miś coraz bardziej, że nie może bawić się z dziećmi. Z tego zmartwienia oklapło mu jedno uszko.

– To nic – pocieszał się niedźwiadek. – Teraz, jak bajka wpadnie mi jednym uchem, to nie ucieknie drugim, bo ją to oklapnięte zatrzyma.

Pewnego razu Miś znalazł na półce czerwony parasol. Chwycił go w łapki i odważnie skoczył z półki na podłogę. Potem wyszedł ze sklepu na ulicę. Trochę się najpierw przestraszył, bo na ulicy było dużo ludzi. Ale naraz zobaczył dwoje dzieci, Zosię i Jacka. I od razu przestał się bać. Dzieci uśmiechnęły się do Misia. Ach, jaki to był miły uśmiech!

– Kogo szukasz, Misiu? – zapytały.

– Szukam dzieci.

– To chodź z nami.

– Dobrze! – ucieszył się niedźwiadek.

I poszli razem.

Przyjaciele

Przed domem, w którym mieszkali Jacek i Zosia, było podwórko. Najważniejszą osobą na podwórku był piesek Kruczek. A drugą po nim – czerwonopióry Kogucik.

Miś wyszedł z domu na podwórko. Zaraz też podbiegł do niego Kruczek. Po chwili zbliżył się Kogucik.

– Dzień dobry! – powiedział niedźwiadek.

– Dzień dobry! – odpowiedzieli. – Widzieliśmy, jak przyszedłeś tu z Zosią i Jackiem. Dlaczego masz opuszczone uszko? Jak się nazywasz?

Opowiedział Miś, dlaczego oklapło mu uszko. I zmartwił się, że nie ma imienia.

– Nie martw się – pocieszał go Kruczek – bo oklapnie ci drugie uszko. Będziemy ciebie nazywać Uszatek. Miś Uszatek. Zgoda?

Niedźwiadkowi bardzo podobało się to imię. Klasnął w łapki i zawołał:

– Od dziś nazywam się Miś Uszatek!

– A teraz poznasz, Misiu, Zajączka.

Zajączek skubał siano.

Najpierw zobaczył Miś długie uszy. A potem śmiesznie poruszający się pyszczek. Zajączek przestraszył się Misia, dał susa i znikł za parkanem.

Po chwili wrócił zawstydzony.

– Niepotrzebnie się zląkłeś, Zajączku – powiedział Kruczek. – Przedstawiamy ci naszego nowego przyjaciela. Nazywa się Miś Uszatek.

Uszatek patrzył na wspaniałe uszy Zajączka i myślał z żalem o swoim oklapniętym uszku.

A wtedy Zajączek powiedział:

– Jakie ty masz ładne, oklapnięte uszko, Misiu...

Mróz

– Spójrz, Misiu – powiedziała z rana Zosia – jakie śliczne kwiaty namalował mróz na szybie.

– Śliczne, śliczne... – zachwyca się Uszatek.

„Teraz pójdę – myśli – zobaczę, jak wygląda ten Mróz, który tak ładnie umie malować".

Okręcił Miś szyję szalikiem i wybiegł na dwór. Ale pod oknem nie było nikogo.

„Już na pewno Mróz poszedł" – pomyślał Miś, oglądając ślady butów na śniegu. Wtem nadbiegł Kogucik.

– Byłem na drodze! – zawołał. – Taki tam mróz, że aż zatyka w dziobku!

Uszatek bez słowa wybiegł za wrota na drogę. Rozgląda się na wszystkie strony. Patrzy na ślady. A jest ich dużo na drodze.

„Gdzie poszedł Mróz?" – myśli.

Na drodze spotkał Uszatek Kruczka.

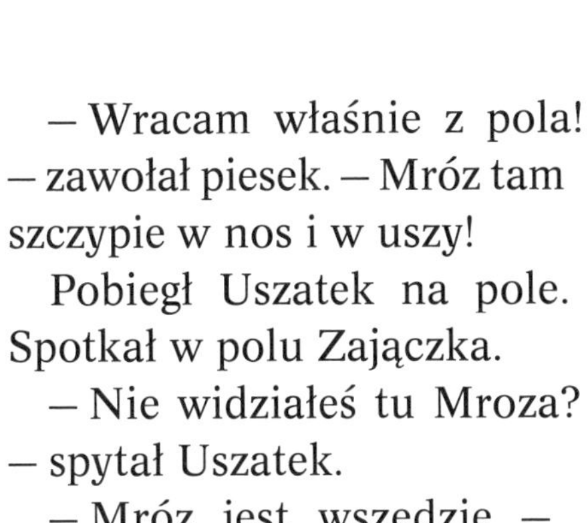

– Wracam właśnie z pola! – zawołał piesek. – Mróz tam szczypie w nos i w uszy!

Pobiegł Uszatek na pole. Spotkał w polu Zajączka.

– Nie widziałeś tu Mroza? – spytał Uszatek.

– Mróz jest wszędzie – odpowiedział zdziwiony Zajączek. – Na łące pokrył strumyk lodem.

Popędził teraz Miś co tchu na łąkę. Zobaczył lód na strumyku. Zobaczył też ślady dużych butów. Ślady szły od rzeki do lasu.

„I tu już nie ma Mroza – pokiwał Miś głową. – Pewnie skończył dziś robotę i poszedł do lasu, żeby odpocząć”.

Bałwanek

Ulepiły dzieci ze śniegu Bałwanka. Włożyły mu na głowę stary kapelusz. Bałwanek ma czerwony nochal – z marchewki. Czarne oczy – z węgla.

Zagląda czarnym okiem przez okno do pokoju. Woła do Misia:

– Uszatku! Dziś jest piękna pogoda, wyjdź na spacer!

Miś Uszatek zaprzyjaźnił się z Bałwankiem. Codziennie go odwiedza. Przynosi mu różne podarunki.

Raz przypiął mu guzik z kolorowych papierków do białej kapoty. Innym znów razem przyniósł piórko do kapelusza.

Pewnego dnia przygrzało mocniej słonko.

Śnieg zaczął tajać. Kap-kap... pociekła woda z lodowych sopli, a z czarnych oczu Bałwanka zaczęły spływać szare łzy.

– Uszatku, ratuj! – prosi Bałwanek przyjaciela. – Słońce zrobi ze mnie kałużę...

Poszedł Miś Uszatek po rozum do głowy. I rozum poradził mu tak: „Trzeba osłonić Bałwanka przed słonecznym blaskiem. Najlepiej zrobi to parasol".

Minęło kilka chwil i oto stoi już Bałwanek pod parasolem, w cieniu. Będzie stał teraz długo. Może aż do wiosny.

Do widzenia, Bałwanku!

Ktoś zastukał w szybę. Uszatek szybko podbiegł do okna.

– To ja stukam! – zawołał Kogucik. – Chodź ratować Bałwanka!

Miś wybiegł na dwór.

– Co się stało? – spytał zaniepokojony.

– Nasz przyjaciel Bałwanek zaraz utonie... – szepnął przerażony Kogucik.

Uszatek rozejrzał się wokoło. Bałwanka nie było na dawnym miejscu.

Spojrzał Uszatek w stronę rzeki i otworzył pyszczek z przerażenia.

Środkiem rzeki płynęły kry. Na jednej z nich stał Bałwanek. Trzymał w ręku stary kapelusz i dawał nim jakieś znaki.

Miś i Kogucik pobiegli w stronę rzeki.

– Bałwanku, gdzieś ty zawędrował! Utoniesz! – krzyczał Uszatek.

Ale Bałwanek nie miał wcale zmartwionej miny, uśmiechał się do przyjaciół z daleka. Poprzez szum wody i trzaskanie kry wołał:

– Do widzenia, przyjaciele! Płynę do kraju pani Zimy! Wiosna się zaczyna! Muszę was opuścić!

Długo stali na brzegu Miś i Kogucik. Uszatek powiewał chusteczką. A Bałwanek machał kapeluszem.

Kra, niosąca Bałwanka na rwącej fali, znikła za zakrętem rzeki...

List od Bociana

Wielka niespodzianka spotkała dziś Uszatka.

Przyszedł z rana listonosz.

– Czy tu mieszka Miś Uszatek? – zapytał.

Niedźwiadek właśnie kończył jeść śniadanie. Odwrócił się szybko na krzesełku. Łyżeczka wysunęła się mu z łapki i upadła na podłogę.

Listonosz powiedział:

– Podnieś łyżeczkę, Misiu, i uśmiechnij się. Przyniosłem dla ciebie bardzo miły liścik z Ciepłych Krajów od pana Bociana.

Wyjął listonosz z torby kolorową pocztówkę i wręczył ją niedźwiadkowi.

– Dziękuję... – szepnął Miś i natychmiast wybiegł na podwórko.

– Zajączku, Koguciku, Kruczku! – zawołał.

Nadbiegli przyjaciele.

– Co się stało? Co się stało?

– Posłuchajcie... – powiedział tajemniczo Uszatek i przeczytał list:

Kochany Uszatku! Wróbelki napisały do mnie, że mieszkasz na naszym podwórku. Bardzo chciałbym Ciebie poznać. Za kilka dni przylecę do Was z Ciepłych Krajów. Ładnie tu jest i dobrze mi tu. Tęsknię jednak do swojego gniazda. Wysyłam Ci kolorową fotografię, którą zrobił mi pewien podróżnik. Stoję pod palmą kokosową. Na palmie siedzi małpka. A tam dalej stoi wielbłąd. Pozdrów Jacka, Zosię, Kruczka, Kogucika i Zajączka.

Całuję Ciebie.

Bocian Długonogi

Długo przyglądali się przyjaciele fotografii. Miś powiedział:

– Mówię wam: dostaniemy na pewno od Bociana w podarunku orzech kokosowy albo banany.

Banany

Miś Uszatek wyszedł z rana na przechadzkę.

Podbiegł do Misia Kruczek.

– Spójrz – powiedział. – Tam coś leci! Czy widzisz?

Miś spojrzał we wskazanym kierunku.

– Tak, widzę... To chyba samoloty. Jest ich bardzo dużo.

– Raz, dwa, trzy, cztery, pięć... – liczył Kruczek.

– O, jeden oderwał się od innych i leci wprost na nas! Jest coraz bliżej!

– Może się zepsuł i spada... – przestraszył się Uszatek.

Za chwilę zatrzepotały nad ścieżką wielkie skrzydła. Uszatek i Kruczek zamarli z przerażenia.

– To Długonogi! – zawołali z ulgą, gdy Bocian wylądował na ścieżce. Długonogi zdjął ciężki plecak i serdecznie przywitał się z Misiem i Kruczkiem.

– Oto upominek – powiedział, wręczając im po kilka bananów.

Po chwili zapytał:
– A może wiesz, Uszatku, jak się czują żabki? Czy zdrowe?
Ale Misia już nie było. Biegł z bananami w kierunku domu.
– Uszatku, straszny z ciebie łakomczuch, zapomniałeś nawet podziękować! – zawołał za nim Długonogi.

Śmigus-dyngus

– Dziś jest śmigus-dyngus! – przypomniał sobie Miś.

Zobaczył Kruczka śpiącego przed budką. „Trzeba go oblać wodą" – pomyślał.

Pobiegł Miś do Jacka i Zosi. Stuk-puk! do drzwi.

– Jacku, Zosiu, dajcie mi wiaderko! Zrobimy Kruczkowi śmigus-dyngus!

Przyniósł Jacek zielone wiaderko i wszyscy pobiegli do studni na podwórku.

Pryska chłodna, srebrzysta woda.

A teraz – do Kruczka!

Dzieci biegną przodem, a za nimi Miś z wiaderkiem.

Już są wszyscy przy budce Kruczka.

Chlust!

Co to się stało? W wiaderku nie ma wody?

Wsadził Miś nos do wiaderka. A tam w środku błyska dziurka – jak gwiazdka na ciemnym niebie.

Kruczek nawet się nie obudził.

Upiekł mu się śmigus-dyngus!

I ja też urosnę!

W nocy padał deszcz.

– Spójrz, Uszatku – powiedziała Zosia – jak wszystko wyrosło po deszczu. Rzodkiewka na grządce, trawy i chwasty...

Uszatek przyglądał się trawkom, dziwił się i kręcił głową. A potem fikał na trawie koziołki. Nie zauważył, jak nadpłynęła chmura i zakryła słońce. Dopiero gdy lunął rzęsisty deszcz, Uszatek zerwał się na równe nogi i chciał biec do domu.

Ale pomyślał: „Pada deszcz, znów wszystko będzie rosnąć. To i ja urosnę po deszczu. Postoję na dworze. Chciałbym być taki jak Duży Niedźwiedź z lasu...”.

Stanął niedźwiadek na środku trawnika.

– Rech, rech, rech... – usłyszał koło siebie.

„To zielona żabka – pomyślał. – Ona chce też urosnąć...”

Majowy deszcz trwa krótko.

Błysnęło słońce, zaświergotały ptaki, zalśniły na liściach srebrne kropelki.

Miś stanął na czubkach łapek i zawołał:

– Zosiu, Zosiu, ja urosłem!

– Rech, rech, rech! – zaśmiała się żabka. – Jaki ty jesteś śmieszny, Misiu! Wcale nie urosłeś, za to strasznie zmokłeś...

Haftowane wisienki

– Jesteś przemoczony do nitki, mój biedny Misiuniu – powiedziała Zosia. – I po co było tak stać na deszczu?

Wytarła ręcznikiem niedźwiadka i nałożyła mu czystą białą koszulkę. Były na niej wyhaftowane wisienki. Miś przejrzał się w lustrze.

„Jak ja ładnie wyglądam – pomyślał. – Muszę pokazać się w tym stroju Zajączkowi".

A Zajączek szedł właśnie po sałatę. Spotkał go Miś na ścieżce za ogrodem.

Spojrzał Zajączek na Misia i z uznaniem pokręcił głową.

– Ładna koszulka – powiedział. – A wisienki są jak prawdziwe.

Kroczy Miś dumnie obok Zajączka i myśli: „Wszyscy się będą za mną oglądać".

Naraz zobaczyli obaj na ścieżce kałużę. Hyc! Przeskoczył przez nią Zajączek jednym susem.

– Ja jeszcze lepiej przeskoczę! – zawołał Uszatek.

Rozpędził się i... chlups! skoczył w sam środek kałuży.

Opryskał się, biedak, od stóp do głowy!

Poczłapał potem do domu. Zobaczyła go Zosia. Ale nie mogła gniewać się na niedźwiadka – taki był biedny. Na białej koszulce zamiast wisienek był placek z błota. A w oczach, zamiast radości i dumy, Uszatek miał dwie okrągłe łezki.

– Oj, Misiuniu, Misiuniu... – westchnęła dziewczynka.

Pali się!

Był pogodny, słoneczny dzień. Zajączek kicał po łące. Skubał listki koniczyny. Wtem zobaczył nad pagórkiem dym.

Dym płynął prosto w górę, kłębił się.

– Pożar! – przestraszył się Zajączek.

Pobiegł do Misia, który fikał koziołki nad rzeką. Miś przetarł łapkami oczy. Popatrzył na dym.

– Pali się! – zawołał.

– Ham, ham! Na ratunek! – szczeknął Kruczek, który drzemał nieopodal w trawie.

Cała trójka pobiegła na podwórko. Miś nałożył na głowę hełm strażacki Jacka. Kruczek wprzągł się do wózka.

A Zajączek na wózku postawił wiaderko z wodą.

– Kukuryku! – zatrąbił Kogucik.

Straż ogniowa popędziła na ratunek. Wózek wtoczył się na górkę. Patrzą dzielni strażacy, a tam na trawie siedzi dziadek Walenty. Opowiada bajkę Jackowi i Zosi. Z dziadkowej fajki buchają gęste kłęby dymu...

Znajdki-zguby

Dzieci już śpią w łóżeczkach. Nie śpi tylko Miś Uszatek. „Zaraz usnę – myśli – ale najpierw zjem orzeszek".

Naraz orzeszek wypadł z łapki Misia. Potoczył się pod szafę.

Uszatek kucnął na podłodze. Chce wydobyć łapką orzech. Nie może go dosięgnąć. Położył się więc i zawołał:

– Wyłaź, orzechu, spod szafy!

– Nie wyjdę – pisnął orzech – bo mi tu dobrze i wesoło.

– Oho... – zdziwił się Uszatek. – A dlaczego pod szafą jest wesoło?

– Bo jest tu stary ołówek Jacka, guzik od fartuszka Zosi i czerwony koralik. Opowiadamy sobie różne historie i śmiejemy się.

Miś Uszatek najchętniej wlazłby również pod szafę, ale jest za gruby.

– Orzeszku – prosi – będziemy razem śmiać się i opowiadać różne historie. Wyjdźcie wszyscy spod szafy.

Orzeszek naradzał się szeptem z guzikiem, ołówkiem i koralikiem. A potem cała czwórka wyszła z ukrycia, śpiewając piosenkę:

My jesteśmy znajdki-zguby,
znalazł nas Uszatek gruby.
Raz, dwa, trzy...

Aż do późnej nocy rozmawiały znajdki spod szafy z Misiem Uszatkiem. A kiedy rano zbudziły się dzieci, bardzo się zdziwiły:

– Skąd się tu wziął dawno zgubiony ołówek, dawno zgubiony guziczek i zapomniany już koraliczek?

Każdy je to, co lubi

Miś stał na progu domu. W łapkach trzymał kromkę chleba grubo posmarowaną miodem. Otoczyli go kołem przyjaciele.

– Każdy je to, co lubi – powiedział do Misia Kogucik. – Ja lubię ziarenka.

– A ja trawki i zioła – dorzucił Zajączek.

– Nie ma nic lepszego niż kasza! – oblizał się Kruczek.

I każdy zaczął jeść to, co lubi. Miś zajadał chleb z miodem. Kogucik dziobał ziarenka. Zajączek skubał listki ziół. A Kruczek wylizywał miskę po kaszy.

– Chrum, chrum... – rozległ się naraz głos. Na podwórko wbiegło czworonożne, różowe stworzenie.

– Jestem prosiaczek Różowy Ryjek – powiedziało, patrząc wesoło na przyjaciół.

– Bardzo nam przyjemnie – powitali przyjaciele przybysza.

– Widzę – kwiknął prosiaczek – że każdy z was je to, co lubi.

– A ty co lubisz? – zapytał Uszatek.

– Wszystko. I chlebek, i kaszę, i listek, i ziarenko, i wiele innych rzeczy. A mam przy tym zawsze wielki apetyt.

Przyjaciele z podziwem patrzyli na Różowego Ryjka. A Uszatek pobiegł do domu. Za chwilę wrócił, niosąc w łapce kartkę z takim napisem:

ZAPROSZENIE

Prosimy prosiaczka Różowego Ryjka,
żeby przyszedł do nas jutro na śniadanie.

Miś Uszatek i Przyjaciele

Gość

Miś Uszatek przykrył stół w altance białym obrusem. Zajączek postawił bukiet kwiatów na środku stołu. Kogucik i Kruczek ułożyli nakrycia.

Wtedy właśnie skrzypnęły wrota. Na podwórko wszedł Różowy Ryjek.

– Witamy miłego gościa! Prosimy do stołu! – zawołali przyjaciele.

Prosiaczek rozsiadł się wygodnie na krześle. Zajączek wniósł półmisek sałaty. Kruczek miskę dymiącej kaszy ze skwarkami. Kogucik przyniósł w dziobie rzodkiewki, czerwone jak różyczki.

Miś powiedział:

– A oto piernik i budyń czekoladowy. Możemy teraz rozpocząć śniadanie.

Różowy Ryjek chrząknął:

– Chrum, chrum... Wszystko wygląda wspaniale! – I natychmiast zabrał się do jedzenia. Zaczął cmokać, mlaskać i oblizywać się szeroko. Nie nakładał potraw na talerzyk. Jadł wprost z półmiska. Nie widelcem – ale ryjkiem i łapkami. Sałatę przegryzał piernikiem, a budyń jadł razem z rzodkiewką.

– Chrum, chrum, chrum... – chrząkał przez cały czas z wielkim zadowoleniem.

Przyjaciele oniemieli z przerażenia. Różowy Ryjek poplamił obrus i przewrócił kwiaty! A kiedy zjadł już wszystko i zobaczył, że stół jest pusty – usnął. Nawet nie otarł ryjka.

Przyjaciele patrzyli, milcząc, na zrujnowany stół i na śpiącego obżartucha. Miś zapytał szeptem:

– Czy zaprosimy jeszcze kiedyś Różowego Ryjka?

W pociągu

Idą Zuchy i śpiewają piosenkę:

Maszerują Zuchy –
raz i dwa, i trzy!
Może razem z nami
pójdziesz także ty?

Miś Uszatek wysłuchał piosenki i zawołał:
– Pójdę razem z Zuchami!
I stanął w parze z najmniejszym Zuchem. Na końcu gromadki.
Maszeruje Miś dzielnie. Stawia równe kroki. Macha łapkami jak prawdziwy Zuch. Próbuje nawet mruczeć piosenkę:

Maszerują Zuchy –
raz i dwa, i trzy...

Tak doszedł do Dworca Kolejowego.
Właśnie wjechał pociąg.
Zuchy weszły do wagonu. Uszatek za nimi.

Wyglądają Zuchy przez okno. I Uszatek też wygląda.

Naraz dojrzał na peronie Zosię. Zosia również zobaczyła Misia w oknie wagonu.

– Misiu! Misiu! Dokąd jedziesz?! – zawołała.

Uszatek chciał wyskoczyć na peron, ale już było za późno. Kolejarz w czerwonej czapce dał znak.

Pociąg ruszył.

Uszatek zawołał:

– Zosiu, ja jestem z Zuchami! Wrócę! Nie martw się o mnie!

Lokomotywa sapała i gwizdała. Stukały koła wagonów. Pociąg mijał wsie i miasteczka, pola, lasy i łąki.

Uszatek wszedł do przedziału.

– Siadaj koło nas! – zawołały Zuchy. – Jedziemy do Dużego Miasta.

Uszatek podrapał się w opuszczone ucho.

– Nie martw się – powiedział jeden z Zuchów. – Misie podróżują bez biletów.

Ale Uszatek martwił się czym innym. Żal mu było Zosi i Jacka, i przyjaciół z podwórka. Jak do nich wróci?

W cyrku

Spacerował Miś Uszatek ulicami Dużego Miasta i myślał: „Jakie tu wysokie domy! Jakie piękne pomniki i parki! Zanim wrócę do Jacka i Zosi, muszę zwiedzić miasto".

Stanął Miś przed cyrkowym afiszem. Przeczytał afisz i postanowił:

– Pójdę do cyrku!

Pod cyrkowym namiotem wszystkie miejsca były zajęte. Ledwie znalazł nasz Miś trochę miejsca na ławce. Usiadł.

Zaczęło się wspaniałe przedstawienie.

Lew skakał przez obręcze. Konie tańczyły. Dwa śmieszne wesołki fikały przez stołki koziołki. Orkiestra grała, a w trąbach migały blaski. Na koniec wyszła na arenę małpka. Trzymała w łapkach hulajnogę. Objechała na niej arenę dokoła. Naraz zobaczyła Uszatka.

– Misiu – zawołała – może chcesz pojeździć na hulajnodze?

Uszatek kiwnął głową. Za chwilę był już na arenie. Odbił się tylnymi nóżkami i popędził jak wicher na hulajnodze. Orkiestra zaczęła grać skoczną melodię. Miś wirował dokoła areny. W cyrku aż zahuczało od oklasków.

– Brawo Miś!

– Brawo Uszatek! – wołały dzieci.

Miś ukłonił się grzecznie i pokiwał do dzieci łapką. Wtedy wyszła na arenę mała dziewczynka i wręczyła Misiowi pudełko czekoladek.

„To będzie upominek dla Zosi i Jacka" – pomyślał niedźwiadek.

Przyjaciele pamiętają o Uszatku

Miś spędził noc w parku na ławce. Obudził się o świcie. Przetarł oczy. I naraz poczuł, że jest mu bardzo zimno, że tęskni do Zosi i Jacka. Chociaż w Dużym Mieście jest tyle ciekawych rzeczy – źle mu tu bez Kruczka, Zajączka i Kogucika.

– Wracam do domu – postanowił.

Wyszedł Miś za miasto. Uszedł spory kawałek drogi. Stanął na skrzyżowaniu.

– Którą drogą mam iść, żeby trafić do domu?

Naraz usłyszał Miś turkot. Zbliżał się wózek. Ciągnął go Osiołek. A kto to siedzi na wózku? Zajączek, Kogucik i Kruczek!

– Jesteś, jesteś, kochany Misiuniu! – wołali przyjaciele, ściskając Uszatka.

A Kruczek powiedział:

– Długo martwiliśmy się o ciebie. Wreszcie postanowiliśmy wyruszyć w podróż do Dużego Miasta. Spotkaliśmy po drodze Osiołka. Dzielny Osiołek znał drogę do Dużego Miasta. Obiecał nas tam zawieźć. Jechaliśmy całą noc.

Miś podszedł do Osiołka, który skromnie schylił głowę i skubał trawę.

– Jestem Miś Uszatek – powiedział. – Bardzo ci dziękuję za pomoc. – I pocałował Osiołka w pyszczek.

A potem wszyscy wsiedli na wózek.

Miś położył na kolanach pudełko z czekoladkami i zawołał:

– Uważajcie tylko, żeby nie pognieść pudełka! To upominek dla Zosi i Jacka.

Zaturkotały koła. Osiołek ruszył z kopyta.

A Miś po drodze opowiedział o Dużym Mieście. O cyrku. O tym, jak spał w parku na ławce.

Wieczorem podjechał wózek pod dom Jacka i Zosi.

Możecie sobie wyobrazić, jakie serdeczne było powitanie!

Zabawy

Taki dziś szary i deszczowy dzień!

Dzieci siedzą przy oknie. Po szybie spływają kropelki wody. Miś patrzy w okno.

– Jaka szkoda, że nie możemy wyjść dziś na dwór – powiedziała Zosia. – Zabawmy się w domu w chowanego!

– Entliczek, pentliczek, czerwony stoliczek... – liczy Jacek.

Wypadło, że szukać będzie Kruczek.

Zaraz też piesek zamknął oczy i wtulił głowę w fotelik.

Zosia schowała się za szafę. Jacek kucnął za wysokim krzesłem.

„Gdzie ja się schowam? – myśli Miś i drapie się w ucho. – Już wiem!"

Wsadził Miś głowę pod poduszkę i woła:

– Już można szukać!

Kruczek zobaczył go od razu.

– Oj, oj, niemądry Misiu! – śmieją się z niedźwiadka dzieci. – Nie mogłeś schować się lepiej?

– Jak ten Kruczek mógł mnie zobaczyć? – dziwi się Miś. – Przecież ja nie widziałem ani Kruczka, ani całego pokoju...

A potem, kiedy przestał padać deszcz, Miś i Kruczek wybiegli na podwórko.

– Czy będziecie się z nami bawić w berka? – zapytali Zajączka i Kogucika.

– Tak, tak – zgodzili się.

– No, to ja będę liczył – powiedział Zajączek.

– Na kogo wypadnie, ten będzie gonił.

Entliczek, pentliczek,
czerwony stoliczek.
A na tym stoliczku
złocony pierniczek.

– Gdzie jest pierniczek? Dajcie mi go! – przerwał Miś liczenie.

– Ależ, Misiu – tłumaczy niedźwiadkowi Zajączek – tu nie ma żadnego pierniczka. To tylko taki wierszyk.

– Nie przerywaj, Uszatku! – gniewa się Kruczek.

Miś oblizał się, czeka, co będzie dalej. I Zajączek zaczął liczyć od nowa:

Entliczek, pentliczek,
czerwony stoliczek.
A na tym stoliczku
złocony pierniczek.
Złocony pierniczek,
czekoladka.
A dla kogo?
Dla niedźwiadka.

– Co? Czekoladka? – przerwał Miś liczenie. – Dajcie mi w tej chwili czekoladkę!

– Cicho bądź, łakomczuchu! – śmieje się Zajączek. – Nie ma żadnej czekoladki.

– Jak to: nie ma! – zawołał Miś. – Sam przecież powiedziałeś przed chwilą: „czekoladka dla niedźwiadka"!

– Uspokój się, Uszatku. Nie przerywaj! – warknął Kruczek.

Uszatkowi na myśl o czekoladce napłynęła ślina do pyszczka.

– Jak mi nie dacie mojej czekoladki – powiedział – to nie będę się z wami bawił.

Nie pomogły tłumaczenia. Łakomczuch poszedł do domu, obrażony na Kruczka i na Zajączka.

Hulajnoga

Przechwalał się dziś Zajączek od samego rana.

– Nikt mnie nie dogoni – mówił do Kogucika. – Prześcignę nawet samochód. A ty, Misiu, nie masz co się ze mną równać. Chcesz się ścigać? Zostaniesz daleko, daleko w tyle.

Miś podrapał się w opuszczone uszko.

– No, spróbujmy – powiedział.

– Doskonale! Widzisz, Misiu, to wysokie drzewo? Tam będzie meta.

– Raz, dwa, trzy! – zawołał Kogucik.

Zajączek i Miś pobiegli w stronę drzewa. Zajączek od razu wyprzedził niedźwiadka. Miś sapie. Daje wielkie susy. Zajączek jednak jest coraz dalej.

Wtem zobaczył Miś Jacka. Jacek jechał na hulajnodze.

– Weź, Misiu, hulajnogę! – zawołał chłopiec.

Chwycił Miś w łapki rączkę hulajnogi. Odepchnął się mocno od ziemi. Aż się zakurzyło na ścieżce. Aż czerwone iskry posypały się spod kółek.

Miś dopędził Zajączka. Zajączek pozostał w tyle. Miś był pierwszy przy drzewie.

– Brawo! – wołają dzieci.

– Brawo! Kukuryku! – pieje Kogucik.

Zajączek spuścił oczy.

Miś sapał przez chwilę ze zmęczenia. Potem nabrał tchu i powiedział:

– Nie martw się, Zajączku, z przegranej. Ten wyścig się nie liczy. Gdyby nie hulajnoga, byłbyś pierwszy na mecie. Podaj łapkę.

Zajączek podał Misiowi łapkę, ale nie podniósł oczu. Za bardzo się przechwalał przed wyścigiem i teraz musi się wstydzić...

Echo

Przed wieczorem przybiegł do Uszatka zdyszany Kogucik.
– Zginął Zajączek! Nie widziałem go od rana! – powiedział.
Zmartwił się Miś. Wyszedł na drogę i zawołał:
– Zajączku! Zajączku!
Z lasu odpowiedział mu jakiś głos:
– ...ączku... ączku...
Zdziwił się Miś bardzo i jeszcze raz zawołał:
– Czy jesteś w lesie?
– ...esie! – odpowiedział ten sam głos.
Pobiegł Miś co tchu w stronę tego głosu.
Na skraju lasu, przy brzozowym pniu, siedział dziwny chłopczyk. Miał zieloną czapeczkę i zielone obcisłe ubranko.
– Kto ty jesteś? – spytał Uszatek.
– Echo – odpowiedział chłopczyk.
– To ty mi odpowiadałeś „ączku" i „esie"?
– Tak.
Podrapał się Miś w opuszczone uszko. „To jakieś dziwne sprawy" – pomyślał. A głośno powiedział:
– A może wiesz, gdzie jest Zajączek?
– Tak. Śpi pod krzakiem jałowca.
Zajrzał Miś pod krzak jałowca. Obudził śpiącego tam Zajączka. Potem pobiegli obaj szybko pod brzozę. Ale echa tam już nie było. Na próżno wołali: nikt nie odpowiadał.
– Pewnie ci się to przyśniło, Uszatku! – śmiał się Zajączek.
– Ale skądże! – zaperzył się Miś. – To przecież ty spałeś, a nie ja!

Na księżycu

– Jaka pyszna zabawa! – wołał Uszatek, ciągnąc latawiec na sznurku. Wiatr trzepotał latawcem.

– Trzymaj mocno – doradzał Zajączek. – Zaraz wiatr ci wyrwie sznurek z łapki!

– A może latawiec pociągnie ciebie do góry? – niepokoił się Kruczek.

– Niech pociągnie! – wołał zuchowato niedźwiadek. – Polecę jak rakieta na księżyc. Potem opowiem wam o swojej podróży. Jeszcze żaden miś nie był na księżycu. Ja będę pierwszy!

Bawił się Miś bardzo długo. Zmęczył się i usnął na trawie. Przez sen poruszał jeszcze łapką, jakby pociągał za sznurek latawca.

I przyśniło się Misiowi, że latawiec naprawdę porwał go do góry. Wzbił się niedźwiadek wysoko, ponad chmury, i wylądował na księżycu. Usiadł okrakiem na księżycowym rogalu. A stamtąd ziemia jest taka malutka! Kruczek, Zajączek i Kogucik wyglądali jak mróweczki... „Ach, jak ja do nich wrócę? – pomyślał Miś i otarł łapką łzy. – Chyba skoczę..."

Zamknął więc oczy, skoczył i... obudził się.

– Gdzie ja jestem? Gdzie ja jestem? – zawołał, bo zdawało mu się, że jeszcze śni.

Nad Misiem stała trójka przyjaciół. Zajączek powiedział:

– Jesteś z nami na łące. Spałeś i płakałeś przez sen!

– To ja nie spadłem z księżyca? – powiedział zawstydzony niedźwiadek. – A szkoda...

List do dzieci

Jacek i Zosia pojechali nad morze. Bawią się tam w piasku. Opalają się na słońcu. Miś został w domu. Tęskni za dziećmi.

Postanowił napisać więc do dzieci list.

A kiedy już list był gotowy, pobiegł z nim Miś do skrzynki pocztowej. A tu dopiero kłopot: skrzynka wisi wysoko. Miś nie może do niej dosięgnąć.

Biegł po drodze Zajączek.

– Pomóż, Zajączku – poprosił Miś.

Zajączek skoczył na ramiona Misia. Wyciągnął łapkę z listem.

– Nie dosięgnę! – zawołał.

Wtedy przybiegł Kogucik. Machnął skrzydłami. Siadł na plecach Zajączka. Trzymał w dziobie list do dzieci. Dziobem dosięgnął do skrzynki.

A teraz list powędruje nad morze.

Miś wyrusza na wędrówkę

– Pójdę na wędrówkę – postanowił Miś. – Zanim dzieci przyjadą znad morza – wrócę.

Spakował plecak i wyruszył w drogę. Idzie polną ścieżką. Doszedł do łączki. A tam spod kępy traw tryska chłodne, czyste źródełko. Umoczył Miś łapkę w wodzie i zwilżył wodą nosek.

– Uff, jak gorąco!

Idzie Miś dalej. Patrzy: w prosie stoi Strach.

– Misiu kochany – prosi Strach – wyręcz mnie na chwilę. Postój tu w prosie i odpędzaj wróble. Skoczę do źródełka. Pić mi się chce, taki dziś upał!

– Dobrze – zgodził się Miś.

Strach pobiegł do źródełka. Wróble od razu zobaczyły, że Stracha już nie ma.

– Ćwir, ćwir! Wcale się ciebie, Misiu, nie boimy! – Lecą wróble do prosa całą gromadą. Miś macha łapkami, podskakuje. Aż się zasapał, biedaczysko.

– Zmykajcie stąd, nie hałasujcie! – woła.

Wróble nie boją się poczciwego Misia. Zajadają z apetytem ziarnka prosa i śmieją się z niedźwiadka. A Strach długo pije wodę w źródełku.

Zmęczony Miś usiadł na miedzy. Uszko mu się jeszcze bardziej opuściło ze zmartwienia.

Człap, człap! Wraca już Strach.

Oj, w samą porę!

Spotkanie z koziołkiem

Szedł Miś wąską ścieżką pomiędzy grządkami. „Daleka przede mną droga – myślał. – Muszę przed wieczorem znaleźć nocleg”.

Nagle na ścieżkę wbiegł Koziołek.

– To moja ścieżka! – zawołał. – Nie wolno tędy chodzić!

Schylił łeb i zagroził Misiowi rogami.

Niedźwiadek przestraszył się Koziołka. Usiadł na środku ścieżki. Nie śmie iść dalej. A tak mu się przecież śpieszy...

Przelatywała właśnie Sroka. Usiadła na jabłonce. Zobaczyła smutną minę Misia.

– Koziołku! – zawołała. – Mama Koza ciebie szuka!

Podniósł Koziołek łeb do góry. A Miś myk!

Przebiegł pod nogami Koziołka jak przez wrota.

– Powiedz, Sroko, mojej mamie, że jestem bardzo zajęty – burknął niegrzecznie Koziołek. I znów opuścił łeb.

Nie wiedział, że Miś jest już daleko.

Stał na ścieżce Koziołek aż do wieczoru.

A może jeszcze dotąd tam stoi?

Dlaczego Bociek się pogniewał

Stoi na mostku Bociek Długonogi z wędką. Myśli: „Złapię rybkę i będę miał pyszne śniadanie. Żeby tylko nikt mi nie spłoszył rybki".

Z lasu wyszedł właśnie Miś. Idzie w stronę mostka. Zobaczył z daleka Boćka. Przyśpieszył kroku. Ciężkie łapki niedźwiadka zadudniły na mostku.

– Co tu robisz, panie Boćku? – zawołał Miś.

Bociek daje Misiowi znaki, żeby był cicho. Usiadł więc Miś na brzegu mostka. Patrzy na wodę i myśli:

„Długonogi ma jakąś bardzo ważną robotę. Będę siedział cichutko".

Naraz Miś zobaczył rybki. Płynęły w stronę wędki. Zerwał się Miś na równe nogi i zawołał:

– Uciekajcie, rybki! Nie przeszkadzajcie Bocianowi!

Rybki uciekły.

Długonogi popatrzył złym okiem na Misia. Wyjął wędkę z wody i poszedł.

„Dlaczego on się na mnie pogniewał?" – zmartwił się Miś.

Purchawka

Tuż pod nogami Misia w trawie leżała szara kulka.

– Co to jest? – spytał Miś Ślimaka, który wystawił rogi spod szarej kuli.

– To jest purchawka – powiedział Ślimak.

– Purchawka? – zdziwił się Miś. – A czy ona jest miękka?

Dotknął niedźwiadek purchawki łapką i ucieszył się.

– O, jaka miękka! Nada się w sam raz dla mnie na poduszeczkę.

Uniósł Miś purchawkę i poczłapał na polankę. Zobaczył go Jeż.

– Co ty niesiesz, Misiu? – zapytał.

– To jest pur... pur... Zapomniałem, jak się to nazywa. Zapytaj Ślimaka. Będę miał z tego poduszeczkę. Spójrz, jaka miękka.

Położył Miś purchawkę na ziemi i usiadł na niej z rozmachem.

Nagle – trrach! Szara kula pękła z hukiem. Miś i Jeż skryli się w chmurze pyłu, którym napełniona była purchawka.

Długo potem kichali: – Apsik! Apsik!

Złoty hamak

– Gdzie dziś przenocuję? – martwił się Miś, chodząc po lesie.

– Może w dziupli... – zapraszały go wiewiórki.

– Za ciasne są drzwi. Nie wejdę do waszego mieszkania – powiedział Miś.

– Połóż się na mchu – namawiał Misia Ślimak.

– Na mchu jest rosa. Przemoczę futerko.

– Siądź na gałązce lipy. Możesz tu się oprzeć wygodnie o pień – zapraszała Wilga.

– O, nie – powiedział niedźwiadek. – Mogę spaść z gałązki, gdy usnę.

Wtem zsunął się z kaliny po złotej nitce Pająk.

– Połóż się, Misiu, na hamaku z pajęczyny. Tkało go od rana kilka pająków. Jest bardzo mocny.

Położył się Miś na hamaku i zasnął. A na niebie mrugały gwiazdy. Stara lipa mruczała cichą kołysankę.

Puk-puk-puk!

Miś zbudził się wcześnie rano na leśnej polanie. Przetarł łapkami oczy. „W lesie jest tak cicho – pomyślał. – Dlaczego nie ćwierkają ptaki?...”

Nagle usłyszał głośne pukanie: – puk-puk-puk!

– Proszę! – powiedział zaspany Miś.

Nikt nie odpowiedział. Znów zrobiło się cicho. Tylko liście na drzewach szeleszczą. I znowu usłyszał Miś: – puk-puk-puk!

– Kto to stuka? Proszę! – zawołał głośno.

Wtedy zza pnia drzewa wychylił się Dzięcioł.

– To ja, Misiu, stukam. Szukam robaczków pod korą drzewa. Dzień dobry!

– Dzień dobry, Dzięciołku! – ucieszył się Miś. – Byłem taki senny... Zdawało mi się przez chwilę, że siedzę w pokoju u moich przyjaciół, u Jacka i Zosi. I że ktoś stuka do drzwi. Powiedz mi, Dzięciołku, dlaczego w lesie jest tak cicho?

– Cicho jest dlatego – powiedział Dzięcioł – że ptaki poleciały w daleką podróż. Do Ciepłych Krajów. Tylko niektóre ptaki zostały w lesie i będą tu od jesieni do wiosny.

– To już jesień? – zdziwił się Miś. – Jacek i Zosia dawno już pewno wrócili znad morza. A Bociek Długonogi odleciał do Ciepłych Krajów. Wracam do domu! Do widzenia, Dzięciołku!

Mały muzykant

Idzie Miś polną dróżką. Po obu stronach zieleni się młode żytko.

– Świr-świr! Świr-świr! – słychać cichą muzykę.

„Kto to gra tak ładnie? – myśli Miś. – Chciałbym zobaczyć tego muzykanta".

Pochylił się Miś nad trawkami.

– Pokaż się, panie muzykancie! – zawołał.

Granie ucichło. Ale co to? Spod liścia wyskoczył polny Świerszczyk.

– Nie widziałeś tu muzykanta? – spytał Miś.

– To ja grałem... – odpowiedział skromnie Świerszczyk.

– Ty? – zdziwił się Miś. – Niemożliwe. Jesteś przecież malutki...

Wtedy Świerszczyk wyjął skrzypeczki i zagrał od ucha.

Miś nie może się nadziwić. Klaszcze w łapki z radości.

A Świerszczyk mówi:

– Czas skończyć granie. Muszę poszukać ciepłego kąta na zimę.

– Chodź ze mną – radzi mu Miś. – Będziesz mieszkał u Jacka i Zosi. I będziesz tam grał przez całą zimę.

– Zgoda! – zawołał Świerszczyk wesoło.

Upominki z lasu

Miś spotkał w lesie Sarenkę.

– Wracam do domu – powiedział. – Ale nie mogę przecież wracać do dzieci z pustymi łapkami... Chciałbym przynieść Jackowi i Zosi jakiś podarunek ze swojej wędrówki.

– Zaraz ci coś dam dla Zosi – powiedziała Sarenka. – Powiem też innym leśnym mieszkańcom, żeby przynieśli upominki.

Skoczyła Sarenka w krzaki.

A Miś usiadł na sosnowej kłodzie i czeka.

Za chwilę Sarenka wróciła. A tuż za nią przyfrunął Dzięcioł w czerwonym berecie. Wiewiórka zamachała rudą kitą.

– Weź to od nas, Misiu – wołają zwierzęta – i zanieś dzieciom.

– Jakie piękne leśne dary – cieszy się Miś. – Korale z jarzębiny – to od zgrabnej Sarenki. Kawałek odłupanej kory, w sam raz dobry na łódeczkę – to dar od Dzięcioła. A spory woreczek leszczynowych orzechów – od Wiewiórki.

– Teraz mogę już iść do domu – powiedział zadowolony Miś. – Mam pełną torbę podarków. Chodźmy, Świerszczyku!

Powitanie

Człap, człap – idzie zmęczony Miś, za Misiem idzie Świerszczyk. Z daleka widać już domek Zosi i Jacka.

„Siądę sobie pod drzewem – pomyślał Miś – odpocznę trochę. Potem przywitam się z dziećmi".

Usiadł niedźwiadek wygodnie. Oparł się o pień. A że był bardzo strudzony wędrówką – usnął. Spał przez całą noc. Nad ranem wiatr strącał z drzewa liście. Leciały liście jeden za drugim. Przykryły Misia żółto-czerwoną kołderką. I już teraz nie widać Misia.

Biegł Kruczek dróżką. Usłyszał chrapanie.

– Ham, ham! – szczeknął groźnie.

Usłyszał to szczekanie Kogucik. Usłyszał je również Zajączek. Przed kopczykiem zebrała się cała trójka przyjaciół Misia. Po chwili przybiegli również Jacek i Zosia.

Kruczek zaszczekał jeszcze głośniej. Kogucik zapiał. A Zajączek zaczął ostrożnie łapką odgarniać liście.

Wtedy zbudził się Miś. Wysadził pyszczek spod liści. Ależ radosne było powitanie! Chyba się wszyscy jeszcze bardziej cieszyli niż wtedy, kiedy Miś wrócił z Dużego Miasta.

Miś musiał opowiedzieć swoje przygody dzieciom i trójce przyjaciół z podwórka.

Opowiadał długo i ciekawie. I naraz, kiedy zaczął opowiadać o Świerszczyku – przerwał, rozejrzał się wokoło i zawołał:

– Gdzie jest Świerszczyk? Przecież przyszedł tu ze mną!

Wszyscy długo szukali Świerszczyka, ale nigdzie go nie było.

– A może on tu wcale z tobą nie przyszedł? Może ci się ta przygoda ze Świerszczykiem przyśniła? – pocieszali Misia przyjaciele.

– Nie – zaprotestował Uszatek. – Podróż na księżyc mogła mi się kiedyś przyśnić, ale Świerszczyk był naprawdę!

Choinka od Dużego Niedźwiedzia

– Dużo mamy zabawek na choinkę – cieszył się Jacek.

– Ale drzewko nasze jest małe – powiedziała Zosia. – Przydałoby się większe drzewko.

Usłyszał tę rozmowę Miś. Pomyślał: „Pobiegnę do lasu po większe drzewko, znam przecież drogę. A tam widziałem latem dużo zielonych drzewek”. Idzie Miś i ciągnie pod górę saneczki.

Rozgląda się dokoła: „Gdzie są te piękne drzewka? Czemu teraz takie brzydkie i suche?".

Naraz usłyszał Miś gruby głos tuż nad sobą:

– Czego tu szukasz, mój mały?

Podniósł Miś głowę i zobaczył Dużego Niedźwiedzia. Już, już miał ochotę uciekać nasz mały niedźwiadek. Spostrzegł jednak, że Duży Niedźwiedź uśmiecha się przyjaźnie i że wcale nie jest groźny. Więc Miś opowiedział Dużemu Niedźwiedziowi o tym, po co przyszedł do lasu. I o swoim zmartwieniu, że drzewka teraz nie są zielone.

– Oj, Misiu, Misiu! – roześmiał się Duży Niedźwiedź, aż w lesie zadudniło. – Przecież widziałeś, jak w jesieni opadały liście z drzew. Drzewka teraz śpią. Chodź ze mną, dam ci drzewko, które ma zamiast liści igiełki. Dam ci choinkę.

I dał Duży Niedźwiedź Misiowi piękną choinkę.

Siadł Miś na saneczki. Pchnął go lekko Duży Niedźwiedź i Miś zjechał z górki wprost pod dom Jacka i Zosi.

Zakończenie

Na choince zgasły świeczki. Miś położył się w swoim łóżeczku. Czas spać.

Wtem za piecem coś zaświergotało:

– Świr-świr! Świr-świr!

Miś uniósł głowę, nadsłuchuje.

„To jakiś znajomy głos" – myśli.

– Świr-świr! – rozległo się znowu. – Uszatku, nie poznajesz mnie? To ja, polny Świerszczyk.

– Ach, to ty! – ucieszył się Miś i odechciało mu się spać. – A gdzie ty uciekłeś wtedy, jak wróciłem do domu?

– Przestraszyłem się twojego chrapania, jak usnąłeś pod liśćmi – powiedział Świerszczyk. – Wskoczyłem przez okno do domu i od tego czasu mieszkam za piecem. Będę ci grał piękne piosenki, a ty słuchaj.

I Miś słuchał piosenek Świerszczyka. O zielonym szumiącym lesie, o błękitnym niebie i wędrujących chmurkach. O srebrnych kropelkach rosy, które błyszczą rano na trawie.

Wydawało się Misiowi, że znów wędruje z torbą zawieszoną przez plecy. Łóżeczko zmieniło się w złoty hamak z pajęczyny, a cały pokój wypełnił się zapachem lasu.

Stuknęła okiennica, a Misiowi wydało się, że to dzięcioł stuka:

– Puk-puk-puk...

Zmrużył Miś oczy i pomyślał: „Pójdę jeszcze kiedyś na daleką wędrówkę...".

Za oknem szumiał wiatr i uderzał o szybę płatkami śniegu.

– Świr-świr! Świr-świr! Uszatku, czy słuchasz piosenek?

Ale niedźwiadek z opuszczonym uszkiem nic nie odpowiedział. Spał i uśmiechał się przez sen do swoich dalszych przygód.

Nowi przyjaciele Misia Uszatka

Piosenka Misia Uszatka

Jak dobrze mieć przyjaciół

Gdyby nie ten wiatr zuchwały,
co biega po łąkach,
z wiatrem by nie poleciały
z dmuchawców nasionka.

Spadły w trawę, każdy przyzna,
że lot był wspaniały.
Przyjęła je ziemia żyzna –
będą kiełkowały.

Już nasionka w ziemi leżą
i czekają wiosny.
Gdy je deszcz pokropi świeży,
będą wtedy rosły.

Wiatr przepędził bure chmury,
rosa schnie na trawce.
Dobre słońce grzeje z góry –
zakwitną dmuchawce!

Ilu ma przyjaciół, pomyśl,
malutkie nasionko:
wiatr i ziemia, deszcz majowy,
a na koniec – słonko!

Nowi przyjaciele Misia Uszatka

Miś Uszatek się nudzi. Siedzi w kącie, zasłania łapką pyszczek. I jakże się tutaj nie nudzić? Zosia i Jacek chodzą już do szkoły. Mają bardzo mało czasu na zabawy z Misiem. Kruczek odprowadza dzieci i wybiega potem na ich spotkanie. Zajączek zapisał się do leśnego przedszkola. Rzadko przybiega teraz na podwórko. A Kogucik? Kogucik wskoczył na strażacką wieżę i udaje blaszanego kogucika.

Pewnego dnia Miś wszedł do pokoju, w którym spała siostrzyczka Zosi i Jacka, malutka Ania. Skrzypnęły cicho drzwi.

– O! – zawołały laleczki Ani, Róża i Lala, i złożyły Misiowi piękny ukłon.

– Hurra! – zawołał Pajacyk Bimbambom, przykładając rękę do czapki.

A Siwek, konik na biegunach, zakołysał się w przód i w tył.

Miś Uszatek poskrobał się w opuszczone uszko.

– Dzień dobry! – mruknął nieśmiało w odpowiedzi na powitanie.

Potem przyjrzał się uważnie całemu towarzystwu. Wszyscy patrzyli na Misia bardzo przyjaźnie. Niedźwiadek nabrał odwagi.

– Podoba mi się tu u was – powiedział.

– To zostań z nami! – zawołały lalki.

A konik na biegunach znów pochylił się do przodu.

Wtedy Miś jednym susem wskoczył na konika.

Zakołysały się bieguny.

Obudziła się Ania w łóżeczku. Przetarła zaspane oczka.

W pokoju zrobiło się jeszcze jaśniej, jeszcze weselej.

Wyciągnęła Ania rączki do niedźwiadka.

I Uszatek usłyszał głos Ani:

– Jaki ładny Miś!...

Serduszko Misia zabiło radośnie. Zakołysał się z całej siły na Siwku i zawołał:

– Wiśta! Wio! Pozostanę tu u was na długo!

Pluszowy Króliczek

– Uszatku, laleczki zapraszają ciebie na obiad – powiedział Pajacyk Bimbambom.

Miś Uszatek był głodny, więc ucieszyło go bardzo zaproszenie.

Laleczki krzątały się koło kuchni. Pajacyk Bimbambom nakrywał do stołu.

– Co to tak ładnie pachnie? – zapytał Uszatek.

Wtedy coś pisnęło pod szafą. Ale nikt na to nie zwrócił uwagi. A laleczki odpowiedziały Misiowi:

– To pachnie kapusta brukselka.

I znów coś pisnęło pod szafą. Teraz już głośniej.

– Co to? – zdziwili się wszyscy.

Bimbambom pokręcił głową.

– A może nam się tylko zdawało? Może nikt nie piszczał?

Laleczka Róża postawiła na stole dymiący półmisek.

Wszyscy siedli dokoła stołu.

Naraz spod szafy wygramolił się Pluszowy Króliczek.

Był cały zakurzony i wyglądał bardzo żałośnie. Laleczki klasnęły w ręce.

– Co ty robiłeś pod szafą, Pluszowy Króliczku?

– Schowałem się tam, bo przestraszyłem się tego kudłatego niedźwiadka. Ale brukselka tak mi zapachniała, że nie mogłem wytrzymać...

Bardzo się wszyscy śmieli. Uszatek pogładził Króliczka po pluszowym łebku. A lale zaprosiły go do stołu.

Zabawa karnawałowa

Laleczki, Róża i Lala, urządzają karnawałową zabawę. Uszyły piękne stroje z bibułek. Róża przebrała się za śnieżynkę. Lala uszyła sobie strój motylka.

– A ja będę śniegowym bałwankiem – postanowił Uszatek. Owinął się aż po czubki uszu białym prześcieradłem. Nałożył stary kapelusz. Do łapki wziął miotłę. Pajacyk Bimbambom zagrał pięknie na cymbałkach. Rozpoczęła się zabawa. Najpierw dygnęła grzecznie Róża i zaśpiewała taką piosenkę:

Jestem śnieżynka
lekka, biała.
Chmurka na ziemię
mnie wysłała.
Wiatr mnie unosi
nad polami.
Błyszczę w słoneczku
brylantami.

Potem Lala zaśpiewała piosenkę motylka:

Gdy wiosenne słonko
zbudzi w lesie kwiaty,
lata nad kwiatami
motylek skrzydlaty.
Pachnie koniczynka,
polna róża, dzwonek.
Siądę – niech odpoczną
skrzydełka zmęczone.

Na koniec wyszedł na środek pokoju Miś – śniegowy bałwanek. Pajacyk Bimbambom mocniej uderzył w cymbałki. Aż Pluszowy Króliczek zawołał:

– Ciszej!
Miś zadeklamował:

Jestem bałwanek śniegowy,
biały od stóp aż do głowy.

Machnął Miś miotłą.
Od tego machnięcia zsunęło się z niego prześcieradło.
Niedźwiadek powtórzył jeszcze raz:

Jestem bałwanek śniegowy,
biały od stóp aż do głowy.

– Wcale nie jesteś biały – pisnął Króliczek.
– Uszatku, nie jesteś już bałwankiem! – zawołały lalki.
A Bimbambom zaśpiewał:

Spadło z Misia, spadło
białe prześcieradło.
To dopiero niespodzianka:
zrobił nam się Miś z bałwanka!

Srebrne gwiazdki

Z rana zaczął padać śnieg. Miś Uszatek wybiegł z saneczkami na dwór.

Naraz zobaczył na swojej wiatrówce śliczne białe gwiazdki. Przyglądał się im z podziwem. A gwiazdek padało coraz więcej. Jedna była piękniejsza od drugiej.

– Lecą gwiazdki z nieba! – zawołał Miś. – Muszę je pokazać w domu.

Zostawił sanki na dworze i wbiegł do pokoju.

– Aniu, Lalu, Różo, Pajacyku, Króliczku! – wołał od progu.

Przyjaciele otoczyli Misia.

– Co się stało? Co się stało? – niepokoił się Pluszowy Króliczek, stając na tylnych łapkach.

– Stało się coś niezwykłego. Z nieba padają srebrne gwiazdki. O tu, spójrzcie, na wiatrówce...

Ale na wiatrówce nie było już gwiazdek. Zamieniły się w mokre kropelki.

– To był na pewno śnieg – uśmiechnął się Pajacyk Bimbambom. – Śnieg stopniał i zostały kropelki...

A Miś nadąsał się.

– Jaki tam śnieg, jakie znów kropelki! – mruknął. – To były na pewno gwiazdki. Dobrze widziałem.

Znów w sklepie z zabawkami

Ania poszła z Uszatkiem do sklepu z zabawkami. Kiedy Miś wrócił, obstąpili go przyjaciele.

– Co tam widziałeś? Opowiedz! – wołał Pajacyk Bimbambom.

– Czy było tam ładnie? – dopytywały się laleczki, Róża i Lala.

A Pluszowy Króliczek podskakiwał na tylnych łapkach i piszczał:

– Opowiedz, opowiedz!

– To był ten sklep – zaczął Miś – w którym mi oklapło uszko. Oklapło mi ze zmartwienia. Czy wiecie, dlaczego? Bo inne misie wędrowały wtedy do dzieci, a ja stałem w kąciku i nikt mnie nie widział.

Uszatek westchnął i opowiadał dalej:

– Weszliśmy dziś do sklepu z Anią i jej mamusią. Ach, jakie tam były piękne zabawki! Pociągi, samochody nakręcane, piłki, okręciki! A misiów było więcej niż sto. Wszystkie śliczne. Mama powiedziała wtedy do Ani: „Jeśli chcesz, to mogę ci kupić nowego misia". Wtedy Ania przytuliła mnie bardzo mocno do siebie. Pogładziła po opuszczonym uszku. A do mamy powiedziała tak: „Dziękuję, mamo, nie chcę nowego misia. Mój Uszatek jest najlepszy i najpiękniejszy ze wszystkich misiów na świecie".

Puff, puff, puff!

– Zabawmy się dziś w pociąg – zaproponował Miś. – Ja będę maszynistą.

– A ja konduktorem! – zawołał Pajacyk Bimbambom.

Mały Pluszowy Króliczek nigdy nie jeździł pociągiem, ale wstydził się do tego przyznać.

Maszynista i konduktor poustawiali krzesła w rzędzie. Pajacyk Bimbambom ogłosił:

– Proszę wsiadać, drzwi zamykać!

– Ja mam bilet pierwszej klasy – powiedziała Lala i siadła na miękkim foteliku.

– Ojej, a ja będę jechała na twardym krzesełku... – zmartwiła się Róża.

Pluszowy Króliczek długo ruszał noskiem: nie miał odwagi wskoczyć do pociągu.

Wreszcie zajął miejsce w ostatnim wagonie. Pajacyk machnął chorągiewką. Pociąg ruszył.

– Puff, puff, puff... – sapał głośno Uszatek.

– Proszę przygotować bilety do kontroli! – wołał konduktor Bimbambom.

Laleczki rozsiadły się wygodnie. A Pluszowy Króliczek przymknął oczy i stulił uszy. Trochę bał się tej jazdy.

– Puff, puff, puff!... – sapał Miś coraz głośniej. Naraz ucichł. Pociąg stanął. Wtedy Króliczek zeskoczył z krzesła i dał susa pod szafę.

– Ja już dojechałem – pisnął. – Tutaj mieszkam!

Apsik, apsik, apsik!

– Dlaczego Króliczek siedzi tak długo pod szafą? – niepokoił się Miś. – Może zachorował?

– Króliczku, wyłaź! – zawołał Bimbambom.

– Apsik! Apsik! – rozległo się pod szafą.

– Oho, Króliczek kicha. Na pewno ma grypę – zmartwiły się laleczki. A Pajacyk nałożył biały fartuch lekarski, potem okulary na nos i powiedział grubym głosem:

– Jestem doktor Bimbambom. Wyłaź, Króliczku, będę ciebie leczył.

Pluszowy Króliczek posłusznie wylazł spod szafy. Lale ułożyły go w łóżeczku i nakryły kołderką.

– Apsik! Apsik! – kichał Króliczek bez przerwy.

– Zmierzymy ci gorączkę i zrobimy zastrzyk – mruczał pod nosem Pajacyk. – Zaraz będziesz zdrów.

Laleczka Róża nałożyła tymczasem na głowę czepek pielęgniarski. Króliczek kichał coraz głośniej.

Wtedy Miś Uszatek ujął go za łapkę i powiedział:

– Króliczek wcale nie jest chory. Nie ma gorączki. A kicha dlatego, że pod szafą było dużo kurzu.

– Apsik!!! – kichnął Króliczek po raz ostatni, aż zadźwięczała szyba. Zawołał:

– Już jestem zdrów!

Kołysanka dla małego Kajtka

Ania ma nową, maleńką laleczkę.

– Oddaję wam maleństwo pod opiekę – powiedziała do Lali i Róży. – Ma ono na imię Kajtek.

Lala i Róża były bardzo dumne z tego, że się mają opiekować maleństwem. Róża wzięła Kajtka na ręce, a Lala zajęła się przygotowaniem łóżeczka.

Pluszowy Króliczek śmiesznie poruszał nosem i uśmiechał się do Kajtka po króliczemu.

– Pobiegnę po mleko. Ugotujemy dla Kajtka kaszki na mleku! – zawołał Bimbambom.

– Dobrze – ucieszyła się Róża – ja tymczasem poszukam kaszki.

Wtedy podbiegł do Róży Uszatek i poprosił:

– Daj mi Kajtka. Ty będziesz szukać kaszki, a ja go potrzymam.

– Oj nie, Misiu, nie dam ci maleństwa. Masz za ciężkie łapki.

Uszatek spojrzał na swoje łapki, spuścił oczy. Bardzo się zmartwił tym, co powiedziała Róża. Tak mu się podobał mały, wesoły Kajtek.

Do wieczoru chodził Uszatek ze spuszczoną głową.

Błysnęły za oknami gwiazdy i zaszumiał wieczorny wiatr. Uszatek podszedł wtedy cicho do łóżka, w którym leżał Kajtek. Dzidziuś nie spał. A lalki już o nim zapomniały. Zajęte były czym innym.

Usiadł Miś Uszatek i zamruczał ułożoną przez siebie kołysankę:

Gwiazda w oknie
mruga, mruga.
Idzie nocka
długa, długa.

Idzie nocka
szara, szara.
Uśnij, Kajtku,
zaraz, zaraz...

Ledwie Miś skończył kołysankę, Kajtek usnął. Ale spójrzcie – Uszatek też usnął!

Słomianka

Lalki urządziły wiosenne sprzątanie. Zamiotły czyściutko pokój, wytarły kurze. Uszatek froterował podłogę. Bimbambom ustawił potem krzesła i rozłożył dywanik przed łóżeczkiem Ani.

Tylko Pluszowy Króliczek nie pomagał w robocie. Cały czas siedział na oknie i patrzył, jak z lodowych sopli kapie woda. Potem gdzieś znikł. A wiecie, gdzie poszedł?

Poszedł zobaczyć, jak spod topniejącego śniegu wychylają się zielone kępki traw. Długo biegał po dworze.

A kiedy wrócił, łapki miał mokre i zabłocone.

– Ach, niegrzeczny Króliczku! – zawołały lale. – Poplamiłeś podłogę!

– Na nic całe sprzątanie! – zmartwił się Bimbambom.

Króliczek stulił uszy i schował się w swojej skrytce pod szafą.

Wtedy Uszatek podrapał się w opuszczone uszko i powiedział:

– Zapomnieliśmy o jednej rzeczy...

Wziął w łapki słomiankę, która leżała w przedpokoju za szafą, i położył ją przed progiem.

Ciasto ucieka

Lala i Róża pieką świąteczny placek. Nie żałują rodzynków i migdałów. A jakich do ciasta dodały zapachów! Aż w nosku kręci!

Wyrobione ciasto leży w dużej, glinianej misie. Pochylają się nad nią laleczki. A Pluszowy Króliczek stanął słupka. Chciałby też zobaczyć, co tam jest w tej misce.

– Teraz ciasto będzie rosło – powiedziały laleczki. – Żeby nam tylko nie uciekło...

„Oj, żeby nie uciekło!" – pomyślał Uszatek. I oblizał się, myśląc o smacznym placku.

Lala i Róża wyszły z Pajacykiem na spacer. Miś siadł przy misce. Pilnuje ciasta. Kiwnęła mu się główka raz i drugi i – Uszatek usnął.

Ale naraz zbudził go pisk Pluszowego Króliczka:

– Ciasto ucieka!

Zerwał się Miś na równe nogi, spojrzał na uchylone drzwi i wybiegł na dwór z okrzykiem:

– Trzymaj, łapaj! Ciasto ucieka!

Długo biegał po polu, ale nigdzie nie zobaczył uciekającego ciasta.

A kiedy wrócił do domu zmartwiony niepowodzeniem, placek już był gotowy.

Śmiały się z Misia laleczki, śmiał się Pajacyk Bimbambom.

Ale niedźwiadek tym się nie przejmował. Kiedy zasiadł przy świątecznym stole, zajadał placek z wielkim apetytem.

Czerwony samochodzik

W garażu pod krzesłem stał czerwony samochodzik.

Od rana majstrowali przy nim Miś i Bimbambom.

– Już samochodzik jest nakręcony – powiedział Pajacyk.

Uszatek usiadł przy kierownicy. A za nim laleczki – Róża i Lala.

Naraz samochodzik ruszył. Przez otwarte drzwi wyjechał z domu. Pomknął przez ulice.

– Stój, stój, Uszatku! – zawołały przerażone laleczki.

Ale Miś nie umiał zatrzymać samochodziku.

Bimbambom i Pluszowy Króliczek, którzy biegli za samochodzikiem, pozostali daleko w tyle.

Spod kół pryskało błoto. Z wielkim krzykiem uciekały przerażone gęsi i kury. A samochodzik z wielką szybkością zbliżał się do kałuży. Laleczki zawołały:

– Katastrofa!

Już kałuża jest o dwa kroki, już o krok... Miś zamknął oczy.

Wtem samochodzik stanął. – Wrrr... wrrr... – zawarczał jeszcze dwa razy i ucichł.

Miś powoli otworzył oczy. Otarł z nosa kropelki zimnego potu.

Przednie koła samochodziku zanurzone były w wodzie. Niewiele brakowało, a cała trójka skąpałaby się w zimnej kałuży.

Miś wracał do domu ze spuszczoną głową i ciągnął samochodzik na sznurku.

Wiosenny dzwonek

Uszatek i Pluszowy Króliczek szli polną drogą. Ciepły, wiosenny wiatr pędził po niebie chmurki.

Naraz Miś przystanął.

– Czy słyszysz, Króliczku? – zapytał szeptem.

– Co? – zdziwił się Króliczek.

– Tam w górze dzwoni dzwoneczek. Jakby go kto zawiesił na chmurze...

Przyjaciele przysłuchiwali się przez chwilę. A potem Króliczek szepnął:

– Jak ślicznie dzwoni! Pewnie jest cały ze srebra albo ze złota. Żeby tylko nie spadł...

Gdy Króliczek wypowiedział te słowa, dzwonienie stawało się coraz głośniejsze, coraz bliższe. Wtem przyjaciele zobaczyli szarą kulkę, która szybko spadała z góry.

– Dzwoneczek spada – przestraszył się Miś.

Szara kulka dzwoniła pięknie. I spadała, spadała, aż spadła w zieloną oziminę. O kilka kroków od przyjaciół. Wtedy przestała dzwonić.

– Ach, pewnie się dzwoneczek potłukł!... – zmartwili się przyjaciele.

Cicho zbliżyli się do tego miejsca, gdzie spadła kulka. Zobaczyli ptaszka. Zdziwili się bardzo.

– Kto ty jesteś? – zapytał Miś.

A ptaszek odpowiedział:

– Jestem skowronek, wiosenny dzwonek.

– To ty nie jesteś ani srebrny, ani złoty? – dziwił się Króliczek.

– Nie – powiedział skromnie ptaszek – jestem zwyczajny, szary.

Czyja to zasługa

Lalka Róża powiedziała do Uszatka:

– Misiu, ty jesteś najsilniejszy z nas, będziesz więc kopał grządki.

I Uszatek zabrał się żwawo do pracy. Skopał szpadelkiem grządkę pod oknem Ani.

A potem Lala i Róża zasiały sałatę i rzodkiewkę. Wszyscy pracowali, tylko Pluszowy Króliczek nie miał żadnej roboty. Kręcił się tu i tam, skakał i wydawało mu się, że jest bardzo zajęty.

Minęło dużo dni. Padały ciepłe deszcze, grzało słonko. Uszatek co dzień podziwiał roślinki na grządce. Były coraz większe.

Aż raz powiedziała Róża:

– Dziś będziemy jedli własną rzodkiewkę i własną sałatę.

Króliczek aż stulił uszy z radości.

Rzodkiewki były piękne jak różyczki, a sałata miała kruche, bladozielone liście.

– To twoja, Misiu, zasługa. Tak pięknie skopałeś grządki – powiedział Bimbambom.

– I twoja, Pajacyku, bo tak starannie je wyrównałeś.

– I laleczek, które siały – dodał Pajacyk.

– A moja, a moja?... – dopraszał się pochwały Pluszowy Króliczek.

Pomóżcie, dzieci, zajączkowi!

Chomik przyniósł mąkę.
Wiewiórka orzechy. Duży Niedźwiedź przyniósł miód.
Co z tego będzie?
Piernik z orzechami.
A dla kogo?
Dla Misia Uszatka.
Upiekły leśne zwierzęta piękny, smaczny piernik.
Powiedziały zajączkowi, żeby zaniósł upominek do Uszatka.
Biegł zajączek przez las, przez pole i łąkę. Jeszcze tylko kilka kroków – i już będzie domek, w którym mieszka Miś.
Wtem zajączek zobaczył grządki sałaty. Położył piernik na ziemi i zaczął skubać smaczne listki.
Szedł od grządki do grządki. A potem nie mógł znaleźć miejsca, gdzie położył upominek dla Uszatka. Bardzo się tym zmartwił i bał się wracać do lasu, bo co na to powiedzą leśne zwierzęta?
A Uszatek właśnie zbliża się do zajączka.
Spójrzcie na obrazek. Zajączek patrzy na grządki z dołu i nie widzi zgubionej paczki.
Dzieci, pomóżcie zajączkowi znaleźć piernik!

Żyto i chleb

Ania poszła na spacer. Wzięła ze sobą Uszatka. Szli ścieżką przez pole.

– Spójrz – powiedział Miś – ile tu trawy rośnie na polu! Będzie można na niej fikać koziołki.

– Koziołki będziesz fikał gdzie indziej – uśmiechnęła się Ania. – Tej trawy nie wolno deptać. To żyto. Będzie z niego chlebek.

Miś nic nie odpowiedział, ale bardzo się zdziwił.

„Przecież chleb robi się z mąki, a mąka jest biała, a nie zielona".

Po drodze jechał wóz. A na wozie siedział dziadek Walenty.

– Siadajcie – zaproponował Ani i Misiowi.

Ania i niedźwiadek usiedli na worku.

– Co jest w tym worku? – zapytał Miś.

– Żyto. Będzie z niego chlebek – powiedział dziadek i wyjął z worka garść złocistych ziarenek.

Uszatek znów się zdziwił: „Przecież chlebek robi się z mąki, a nie ze złotych ziarenek".

Gdy Ania i Uszatek przyjechali do domu, Miś zaraz poprosił o kromkę chleba.

Ach, jak mu smakował chleb po spacerze! Jadł z apetytem i myślał:

„Jak to jest naprawdę z tym chlebem? Jem go codziennie i nie wiem, czy zrobiono go z mąki, czy ze złotych ziarenek, czy też z zielonej trawy?".

Podrapał się Uszatek w opuszczone uszko i zamyślił się głęboko: „Kto mi wytłumaczy to wszystko?".

Bałwanek jabłonkowy

– Spadł śnieg! – zawołała lala Róża.

– Co? – zdziwił się Uszatek. – Śnieg w maju? To niemożliwe.

– A spójrz na drzewa. Całe są białe.

Wybiegł Miś do sadu, a za Misiem Róża, Pajacyk Bimbambom i Pluszowy Króliczek.

Wszystkie jabłonki w sadzie okryte były białym puchem. Miś pociągnął noskiem.

– Jak tu ślicznie pachnie!

– To pachnący śnieg! – pisnął Króliczek.

– I ciepły – powiedział Pajacyk, dotykając białej gałązki.

Powiał wiatr. Zaroiło się od białych płatków.

– Majowy śnieg pada na ziemię – szepnął Uszatek.

A płatki z kwitnących jabłoni spadały na głowy i na ramiona przyjaciół.

– Tyle śniegu nasypało mi się za kołnierz – śmiał się Pajacyk – a wcale nie mrozi.

Naraz Króliczek zawołał:

– Spójrzcie, bałwanek śniegowy!

A to stał Miś Uszatek, obsypany od stóp do głów białymi płatkami kwiatów jabłoni.

– To jest bałwanek jabłonkowy – poprawił Króliczka Pajacyk.

Dojrzały wiśnie

Dojrzały w sadzie wiśnie. Uginają się gałązki pod ciężarem soczystych, czerwonych wisienek.

Pajacyk Bimbambom, dwie lale i Pluszowy Króliczek przyszli do sadu z koszyczkiem. Pajacyk wspiął się na palce.

– Nie dosięgnę nawet do najniższej gałęzi – powiedział.

– To może ja podskoczę – zaproponował Króliczek. Wywinął młynka w powietrzu i upadł na trawę.

– Nic z tego... – zmartwiły się laleczki.

Wtem do sadu wbiegł Uszatek. Stanął pod drzewem, podrapał się w opuszczone uszko.

– Dajcie mi koszyczek – powiedział. – Wejdę na drzewo.

Raz, dwa, trzy – i już Miś jest na drzewie. Wszyscy zadarli głowy do góry i patrzą: Uszatek zrywa wisienki i napełnia nimi koszyczek. Od czasu do czasu wisienka, zamiast do koszyka, trafia do pyszczka Misia.

– Uszatku – skarżą się lale – nie jedz wisienek, bo dla nas mało zostanie.

– Nic nie mówcie – uciszał je Pajacyk. – Gdyby nie Miś, nie mielibyśmy wcale wisienek.

Zlazł Uszatek z drzewa i podał przyjaciołom napełniony koszyczek.

Ależ była uczta!

Czy jabłonka umie mówić?

Był słoneczny poranek. Wyszedł Miś Uszatek na spacer. W sadzie kwitły jabłonie. Stanął Miś przed jabłonką. Na jabłonce mieszkał szpaczek. Wyjrzał z budki.

– Dzień dobry, Misiu Uszatku! – zaświergotał.

Domek szpaczka był ukryty wśród kwitnących gałęzi i Miś nie dojrzał ptaka.

„Kto mnie tak wita? – pomyślał zdumiony. – Czyżby jabłonka umiała mówić?"

– Dzień dobry... jabłonko! – powiedział.

Szpaczek nie słyszał już odpowiedzi Misia, bo poleciał w pole. A Miś prędko wrócił do domu. Zobaczył Pluszowego Króliczka.

– Króliczku – zawołał – jabłonka nauczyła się mówić!

Teraz obaj pobiegli do sadu. Stanęli przed jabłonką. Ukłonili się grzecznie, aż do samej ziemi, i zawołali:

– Dzień dobry, jabłonko!

Ale jabłonka nic nie powiedziała. Szumiała tylko: – szu... szu... szu... Potem jeszcze kilka razy Miś zawołał „dzień dobry!". I zawsze odpowiadał mu tylko szum jabłonki.

– Już pewnie jabłonka zapomniała mówić – zmartwił się niedźwiadek.

Wrócił z pola szpaczek, usiadł na trawie. Zobaczył Misia i Króliczka.

– Komu wy się tak kłaniacie? – zapytał.

– Jabłonce – odpowiedział Miś – bo powiedziała mi „dzień dobry". Ale już zapomniała mówić.

Pokiwał szpaczek głową.

– Już tak dawno mieszkam na jabłonce i nigdy mi nie powiedziała „dzień dobry"...

Na karuzeli

– Dziś jest Dzień Dziecka – powiedziała Ania do swoich zabawek.

– Co to znaczy? – zapytał Uszatek.

– To znaczy – objaśniła Ania – że dziś dzieci na całym świecie mają swoje święto. Dorośli przygotowali w tym dniu dla dzieci wiele niespodzianek.

– Ojej, to i w naszym miasteczku też będą niespodzianki! – ucieszyły się lalki, Lala i Róża. A Pajacyk Bimbambom podskoczył z radości.

– Pójdziemy dziś do parku – powiedziała Ania.

Po obiedzie całe towarzystwo poszło do parku. Kręciła się tam karuzela. Grała orkiestra strażacka. Stały kioski z książkami i ze słodyczami. W parku było dużo dzieci, a wszystkie – uśmiechnięte.

Ania z przyjaciółmi podeszła do karuzeli.

– Czy chcecie się przejechać na karuzeli? – zapytała.

– Tak, tak! – zawołali przyjaciele.

Wszyscy siedli na konikach. Tylko dla Pluszowego Króliczka zabrakło miejsca.

– To nic – powiedział Króliczek, który trochę bał się tej jazdy. – Ja wolę biegać dokoła karuzeli. To nawet znacznie przyjemniej.

I karuzela ruszyła.

Wiatr

Uszatek i Pajacyk Bimbambom bawili się piłką.

Naraz Uszatek rzucił piłkę bardzo wysoko i piłka już nie spadła.

– Ale rzuciłem piłkę wysoko – chwalił się Miś. – Poleciała, poleciała i spadła pewnie na księżyc!

Przyszły do sadu lalki, Róża i Lala. Przykicał Króliczek.

I przed nimi pochwalił się Miś swoim wspaniałym rzutem.

– Gdybym miał piłkę, to pokazałbym wam jeszcze raz, jak rzucam.

Wszyscy patrzyli z podziwem na niedźwiadka. Naraz z drzewa ozwał się głos:

– Oj, Misiu, niepotrzebnie się chwalisz...

– Kto to mówi? – zawołały lalki.

– To ja, wiatr. Zaraz dmuchnę.

Wiatr dmuchnął. Piłka spadła. Wcale nie poleciała na księżyc, lecz zatrzymała się na gałęzi.

Uszatek bardzo się zawstydził. Spuścił głowę i podreptał do domu.

Odrzutowiec

Niebo było czyste, bez chmurek. Wysoko leciał samolot. Warczał.

– To jest odrzutowiec – powiedział Bimbambom.

– Tak bym chciał polecieć samolotem... – westchnął Miś.

– Zaraz polecisz – uśmiechnął się Pajacyk Bimbambom. – Tylko nie na odrzutowcu.

Wziął Uszatka za łapkę i pociągnął go w kierunku sadu. Tam zobaczył Miś ławeczkę zawieszoną na sznurach. Bimbambom powiedział:

– Siądź na ławeczce. Trzymaj się mocno sznurów.

Miś posłusznie siadł.

– Teraz zamknij oczy.

Miś zamknął oczy.

– Raz, dwa, trzy... – zakomenderował Bimbambom.

I ławeczka zakołysała się. Uszatek poczuł, że leci w powietrze.

Buj–buj–buj – kołysała się huśtawka w górę i w dół.

Misiowi zdawało się, że fruwa wysoko pod obłokami.

„Ach, jak przyjemnie jest latać” – pomyślał.

Bimbambom zatrzymał huśtawkę.

– A teraz ty mnie pohuśtaj – poprosił Pajacyk.

Ale Miś nic nie odpowiedział. Siadł na trawie. Zdawało mu się, że teraz nie on leci, lecz wszystko dokoła: drzewa, domy, Pajacyk Bimbambom.

Buj–buj, buj–buj...

Siwek u kowala

– Uszatku!
– Kto mnie woła? – zdziwił się niedźwiadek.
– To ja, Siwek...
– A co chcesz, koniku?
– Wszyscy o mnie zapomnieli, laleczki, Pajacyk, Pluszowy Króliczek. Biegają po dworze, bawią się, a ja stoję w kącie!
– Żal mi ciebie, koniku. Pójdziesz ze mną na spacer. Tylko jak? Przecież stoisz na biegunach?
– Ja mogę zejść z biegunów i biegać z tobą. Tylko trzeba, żeby kowal mnie podkuł.
Zszedł Siwek z biegunów. Miś wziął go za uzdę i zaprowadził do kowala.
– Kowalu, podkuj Siwka – poprosił.
Miś podnosił nogi Siwka po kolei. Kowal przybił konikowi cztery nowe podkówki.
– A teraz siądź na mnie, Misiu – powiedział Siwek.
Pocwałował Miś na Siwku do swoich przyjaciół. Tam zaprzągł niedźwiadek konika do wózka. Pajacyk Bimbambom i Pluszowy Króliczek wsiedli do wózka.
– Jedziemy na wycieczkę do lasu! – zawołał Uszatek.

Jedziemy na wycieczkę

Pędził Siwek środkiem polnej drogi. Za Siwkiem toczył się wózek. Na wózku siedział Uszatek, Pajacyk Bimbambom i Pluszowy Króliczek.
Naraz Siwek przystanął.
– Co się stało? – zdziwili się podróżnicy.
– Spójrzcie – parsknął konik. – Tam w rowie coś się porusza.
Wszyscy zeskoczyli z wózka.

W rowie siedział mały, przestraszony zajączek. Drżał na całym ciele i popłakiwał cichutko. Miś schylił się nad zajączkiem.

– Dlaczego płaczesz, zajączku?

– Zgubiłem mamusię – szlochał zajączek.

Miś podrapał się w opuszczone uszko.

Pajacyk powiedział:

– Siadaj z nami, zajączku! Pomożemy ci szukać mamy.

Siadł zajączek obok Pluszowego Króliczka. Króliczek objął go łapką i pocieszał, jak umiał.

Zajączek otarł łzy i uśmiechnął się.

Ujechali kawał drogi. Koło polnej gruszy spotkali mamę zajączka.

Zajączek był tak zajęty rozmową z Króliczkiem, że nawet nie zauważył swojej własnej mamy.

– Może widziałeś mojego synka? – spytała Misia zmartwiona zajączkowa mama.

– A jak twój synek wygląda?

– Ma długie uszy, mały, puszysty ogonek i jest bardzo miły.

– Czy to może ten, co rozmawia z Pluszowym Króliczkiem?

– Tak, tak!

Ach, jak się cieszyli oboje – mama i synek! Tylko Pluszowy Króliczek martwił się, że musi się rozstać z przyjacielem.

– To nic – pocieszał się – zobaczymy się znów, gdy w naszym ogródku dojrzeje kapusta.

Tajemniczy głos

W lesie była duża polana. Rosła tam wysoka trawa i kwiaty. Nad polaną szumiały drzewa.

Miś uwiązał Siwka przy drzewie.

– Odpoczniemy tu – powiedział.

– Ku-ku! – rozległ się głos.

Miś podrapał się w opuszczone uszko.

– Kto to powiedział „ku-ku"?

Pajacyk Bimbambom i Pluszowy Króliczek pokręcili głowami.

– To nie my!

– Ku-ku, ku-ku!... – znów odezwał się głos.

– Ktoś chce się z nami zabawić w chowanego – pisnął Króliczek. – Poszukajmy go!

Wszyscy zaczęli szukać. Pluszowy Króliczek dał nurka w trawy. Bimbambom zadarł głowę do góry. A Miś Uszatek przetrząsnął najbliższe krzaki.

Tajemniczy głos ciągle wołał:

– Ku-ku, ku-ku, ku-ku!...

Po chwili cała trójka znów spotkała się na polanie. Miś trzymał w łapce ślimaka.

– Znalazłem go! – zawołał. – To on mówi „ku-ku”...

– Nie, to na pewno nie on – zaprotestował Bimbambom i pokazał przyjaciołom biedronkę.

– A ja wam mówię, że „ku-ku” mówiła liszka – pisnął Króliczek. – O, właśnie ta!

Wszyscy pokazywali to, co znaleźli: ślimaka, biedronkę i liszkę. Ślimak wysunął rożki, biedronka trzepotała skrzydełkami, a liszka podniosła łebek. Ale żadne z nich nic nie powiedziało. Naraz zaszumiały skrzydła.

Na gałązce siadł piękny, duży ptak i zawołał wesoło:

– Ku-ku, ku-ku, ku-ku! Jestem kukułka. Witam was!

Ziemia się rusza

Miś, Pajacyk Bimbambom i Pluszowy Króliczek odpoczywali w cieniu na trawie. W górze cicho szumiały drzewa. Naraz Miś zawołał:

– Ziemia się rusza!

Wszyscy zerwali się na równe nogi.

Króliczek przycupnął cicho w trawie, a Bimbambom skrył się za krzakiem jałowca. Tylko Uszatek stał w miejscu. Tak się przestraszył, że nie mógł zrobić kroku naprzód. Na środku polanki poruszyły się najpierw trawy. Potem zaczęły na nie spadać grudki ziemi. W oczach przestraszonych przyjaciół rósł czarny kopczyk.

– Uciekajmy... – szepnął Pajacyk.

– Zobaczmy lepiej, co będzie dalej – pisnął z ukrycia Pluszowy Króliczek.

Naraz ziemia rozchyliła się. Z kopczyka wyszło zwierzątko w czarnym, błyszczącym futerku. Zwierzątko to miało małe, przymrużone oczka. W łapkach trzymało latarkę. Zobaczyło Uszatka i powiedziało bardzo uprzejmym głosem:

– Jestem kret. Bądź łaskaw, zgaś mi latarkę.

Wtedy wybiegł z ukrycia Króliczek, a potem Pajacyk Bimbambom.

Wszyscy otoczyli kreta. Dotykali czarnego futerka i przyglądali się latarce.

– Szkoda – powiedział kret – że nie mogę wam pokazać moich korytarzy pod ziemią. Są bardzo wąskie i nie zmieściłby się tam żaden z was.

A na koniec powiedział:

– I przepraszam was, że napędziłem wam tyle strachu.

Jak Miś został doktorem

Przyjaciele odpoczywali w cieniu wysokiego drzewa. Pajacyk Bimbambom oparł się o pień i zmrużył oczy. Uszatek wyciągnął się w trawie i patrzył na chmurki. A Siwek skubał smaczne zioła.

Wtem na polanę wbiegł Pluszowy Króliczek.

– Lis zachorował! – krzyknął.

– Jaki lis? Dlaczego zachorował? – zawołali przyjaciele.

Króliczek odsapnął i powiedział:

– Biegłem właśnie do was. Niedaleko stąd, na polance, widziałem małego liska. Kręcił się w kółko za własnym ogonem. Jest na pewno chory.

Wszyscy zaraz pobiegli za Króliczkiem.

Na polance dreptał lisek. Miał piękny, czerwony ogon, który wyglądał z daleka jak płomień.

– Co ci jest, lisku? – zapytał Uszatek.

Lisek tylko coś mruknął niezrozumiale i dalej kręcił się w kółko.

– Już wiem – szepnął Miś. – Do lisiego ogona uczepił się rzep...

Podbiegł Uszatek do liska i odczepił rzep z ogona.

Lisek przestał się kręcić w kółko i powiedział:

– Dziękuję panu, panie doktorze!

Wszyscy spojrzeli z podziwem na Misia. A potem długo rozmawiali z liskiem i chwalili jego piękny ogon.

Mrowisko

– Spójrzcie, jak mrówki ciężko pracują – powiedział Pajacyk Bimbambom do przyjaciół.

Wszyscy pochylili się nad dróżką. Wędrowały po niej równym sznureczkiem duże mrówki. Szły do mrowiska. Prawie każda mrówka wlokła sosnową igłę. Igły były im potrzebne do budowy mrowiska.

– Ojej, jak ciężko pracują! – westchnął Pluszowy Króliczek. – Taki kawał drogi muszą wlec ciężkie igły.

– Pomożemy mrówkom – powiedział Miś.

– Ale jak? – zapytali przyjaciele.

Miś na to nic nie odpowiedział, tylko kazał wszystkim prędko wsiąść do wózka, wziął w łapki lejce i zawołał:

– Jazda!

Wózek zatrzymał się przed sosną. Ziemia tu była usłana igłami.

– A teraz nasypiemy do wózka igieł.

Kiedy wózek był już napełniony igłami, przyjaciele podjechali do mrowiska. Wysypali igły tuż przy nim. Miś zawołał:

– Mrówki! Nie potrzebujecie już dźwigać igieł z daleka. Przywieźliśmy je wam pod samo mrowisko.

Spotkanie z Anią

Wybrała się Ania do lasu na grzyby. Chodziła, chodziła po lesie. Nic nie uzbierała. Nóżki zabolały Anię od chodzenia. Usiadła pod drzewem i myśli:

„Nie dojdę chyba do domu. Ach, gdyby ktoś mnie podwiózł!”...

Ledwie tak pomyślała – zaterkotał wózek. Wbiegł na polankę Siwek. Na wózku siedziała cała trójka przyjaciół. Wszyscy byli weseli, wszyscy śpiewali głośno:

Jadą, jadą dzieci drogą,
siostrzyczka i brat.
I nadziwić się nie mogą,
jaki piękny świat!

Naraz przyjaciele zobaczyli Anię.

– Stój, Siwku! – zawołał Uszatek. Ach, jakie serdeczne było powitanie! Ile sobie wszyscy mieli do opowiedzenia!

A kiedy już sobie o wszystkim opowiedzieli, Króliczek zajrzał do koszyka.

– Pusty... – zasmucił się.

– Pomożemy Ani znaleźć grzyby! – zawołał Uszatek.

Miś i Króliczek myszkują po krzakach. Tylko Pajacyk nie szuka grzybów. Boi się, że mu gałęzie strącą czapkę...

„Muszę znaleźć grzyby dla Ani. Muszę znaleźć grzyby dla Ani”... – powtarza w myślach Uszatek. A potem ułożył taki wierszyk:

Grzybki, grzybki,
znaleźć was muszę.
Pokażcie swoje
kapelusze!

Króliczek zabrnął daleko w krzaki.

I naraz rozległ się jego głos:

– Mam, mam! Raz, dwa, trzy, cztery...

Ania i Miś pobiegli w kierunku głosu. Na skraju polanki stał uradowany Króliczek.

– Spójrzcie! – zawołał z dumą.

W cieniu drzew rosły cztery prześliczne muchomory. Miały ogromne, czerwone, biało nakrapiane kapelusze.

– Tych grzybków nie zerwiemy – powiedziała Ania – bo są trujące. Popatrzymy sobie tylko na nie.

– Trujące... – zmartwił się Króliczek.

A potem dodał na pociechę:

– Ale ładne, prawda?

Auto–stop

Siwek pędził środkiem drogi. Cieszył się konik, że już wraca do domu.

Terkotały koła wózka. Przyjaciele opowiadali Ani o tym, co się im przydarzyło w czasie wakacji.

W miejscu, gdzie się drogi krzyżowały, stał na dwóch łapach Duży Pies. Na ramionach miał dobrze wypchany plecak. W łapie trzymał kartkę z napisem: Auto–stop!

Siwek przystanął.

– Dzień dobry! – powiedział pies. – Podróżuję auto–stopem, to znaczy, zatrzymuję po drodze spotkane pojazdy, które jadą w tę stronę, gdzie ja wędruję. Czy mogę skorzystać z waszej uprzejmości? Czy możecie mnie podwieźć?

– Bardzo proszę – powiedział Uszatek.

Wszyscy zrobili miejsce dla wędrowca. I Duży Pies wsiadł do wózka.

Nie żałowali przyjaciele tego spotkania.

Duży Pies opowiedział im w drodze wiele ciekawych przygód.

Najciekawsza przygoda Dużego Psa

Duży Pies opowiadał swoją najciekawszą przygodę:

– Było to na wiosnę. Śniegi stopniały i zrobiła się powódź. Rzeka zalała łąkę. Na środku rzeki utworzyła się wyspa. Wyspa robiła się coraz mniejsza – zalewała ją woda. Wtem zobaczyłem na wyspie zajączka.

– To pewnie był ten zajączek, którego spotkaliśmy w drodze! – zawołał Pluszowy Króliczek.

– Nie przeszkadzaj, Króliczku – mruknął Miś.

Duży Pies ciągnął dalej swoją opowieść:

– Zajączek stawał słupka i dawał rozpaczliwe znaki. Zdawało mi się nawet, że słyszę jego głos: „Ratunku, zaraz wyspa utonie pod wodą!”.

Nie namyślałem się ani przez chwilę. Skoczyłem do wody i podpłynąłem do wyspy. Zajączek siadł na moim grzbiecie. I tak na grzbiecie, jak na łódce, dopłynął do brzegu.

Kiedy spojrzeliśmy z bezpiecznego miejsca na środek łąki – wyspy już nie było. Zalała ją woda.

Duży Pies skończył opowieść. Wszyscy patrzyli na niego z podziwem. Ania pogładziła Dużego Psa po głowie. A Uszatek uścisnął mu łapę i powiedział:

– Duży Psie, ty jesteś prawdziwym bohaterem!

Burza

W domu było gorąco, więc Ania wyniosła małego Kajtka do sadu. Położyła go w cieniu jabłonki na kocu. Kajtek usnął. A tymczasem na niebie zaczęły gromadzić się chmury.

– Będzie deszcz – powiedział Bimbambom. – Idę do domu.

Przypłynęła duża czarna chmura. Naraz błyskawica rozcięła chmurę. Zagrzmiało. Spadły pierwsze krople deszczu. Uszatek i Bimbambom stali w oknie. Teraz zrobiła się prawdziwa ulewa.

– Uciekliśmy w porę – cieszył się Pajacyk.

Wtem wbiegła Ania.

– Kajtek śpi pod jabłonką! – zawołała.

Miś skoczył na równe nogi. Za chwilę był już w sadzie.

Nie bał się ani deszczu, ani błyskawic.

Kajtek zbudził się pod jabłonką. Drżał z zimna i ze strachu.

– Chodź tu, mały! – zawołał Miś. Przytulił malca do ciepłego futerka i przyniósł go do domu.

Miś miał mokre futerko. Spływała z niego woda. Był jednak bardzo szczęśliwy. Ania pogładziła go po głowie i powiedziała:

– Jesteś, Misiuniu, prawie tak dzielny, jak Duży Pies!

Most z tęczy

Deszcz przestał padać. Kajtek usnął w łóżeczku. Ania i Miś wyszli na ganek. Chmury powoli odpływały. Niebo błękitniało. Słońce zaświeciło na niebie i w kropelkach rosy na trawie.

– Odjechała burza za las – powiedziała Ania i poszła do domu.

Uszatek usłyszał turkot. Drogą jechał ciężarowy samochód. Miał wielką brezentową budę. Koła samochodu dudniły po bruku.

Spojrzał Miś w kierunku lasu. Właśnie nad lasem błysnęła różnokolorowa tęcza. Naraz rozległ się daleki grzmot. Długo dudnił za lasem i ucichł.

Wtedy wybiegł przed ganek Pluszowy Króliczek. Spojrzał na Misia i spytał:

– O czym ty myślisz, Uszatku? Na co patrzysz?

– Słyszałeś to dudnienie? – powiedział niedźwiadek. – To burza na ciężarówce jechała za las po moście z tęczy.

Zaraz ci pomogę

Zaczęły się jesienne chłody. Mała Polna Myszka postanowiła szukać ciepłego mieszkania.

„Zamieszkam u ludzi" – pomyślała. Spakowała swoje rzeczy w węzełek. Nacisnęła włóczkową czapeczkę aż na oczy. Potem skręciła na łąkę. Za łąką była wieś. A środkiem łąki płynął wąski strumyczek.

Właśnie koło tego strumyczka stał Miś Uszatek. Niedźwiadek wyszedł na spacer.

„Niemiło spacerować w taką pogodę" – martwił się Miś. Uszko jeszcze bardziej mu oklapło z tego zmartwienia. Wtem zobaczył Uszatek Polną Myszkę. Myszka zatrzymała się przed strumieniem.

– Nie przeskoczę przez strumień – pisnęła. – Jest bardzo szeroki.

– Co? – zawołał Miś. – Ja przeskoczę strumyczek jednym susem. Jest bardzo wąski.

„Dla Myszki strumyczek jest szeroki, a dla Misia wąski" – dziwiły się rybki w strumyku.

– Zaraz ci pomogę – powiedział Uszatek do wędrowniczki. Położył w poprzek strumyka patyk i Polna Myszka przebiegła po nim na drugą stronę, jak po moście.

– Dziękuję – pisnęła i skręciła na ścieżkę prowadzącą do wsi.

Uszatek idzie do przedszkola

Miś Uszatek obudził się z rana. Pajacyk Bimbambom już dawno nie spał. Lala i Róża uwijały się koło kuchenki. Tylko Pluszowy Króliczek drzemał pod szafą.

Rozejrzał się Miś po pokoju.

– Coś się tu zmieniło... – mruknął.

– Zmieniło się – powiedział Bimbambom. – W sadzie żółkną listki. Nie śpiewają ptaki.

A Miś na to:

– Ale ja mówię, że zmieniło się tu, w pokoju.

– Ania chodzi do przedszkola. To się zmieniło – pisnął spod szafy Króliczek.

I teraz Miś zrozumiał, że to jest największa zmiana.

Właśnie Ania otworzyła drzwi. W ręku miała woreczek z wyhaftowanym niedźwiadkiem.

– Do widzenia! – powiedziała. I wyszła.

Uszatek podrapał się w opuszczone uszko. Naraz – wybiegł na dwór. Dogonił Anię. Drepce teraz koło niej. Zobaczyła go dziewczynka.

– Gdzie ty idziesz, Misiu? – zapytała.

– Idę z tobą do przedszkola.

Ania wzięła Misia za łapkę.

Zza chmur wyjrzało jesienne słonko i pozłociło piaszczystą ścieżkę. Zaszumiały topole. Zaświergotały w topolach wróble.

A Miś maszeruje obok Ani i układa taką piosenkę:

Miś, Miś –
do przedszkola
idzie dziś.
Odprowadzi
małą Anię.
Potem z dziećmi
tam zostanie.

Spis treści

Przygody i wędrówki Misia Uszatka

Nowi przyjaciele Misia Uszatka

Wydawnictwo NASZA KSIĘGARNIA Sp. z o.o.
02-868 Warszawa, ul. Sarabandy 24c
tel. 022 643 93 89, 022 331 91 49
faks 022 643 70 28
e-mail: naszaksiegarnia@nk.com.pl

Dział Handlowy
tel. 022 331 91 55, tel./faks 022 643 64 42
Sprzedaż wysyłkowa
tel. 022 641 56 32
e-mail: sklep.wysylkowy@nk.com.pl **www.nk.com.pl**

ISBN 978-83-10-11407-5

PRINTED IN POLAND

Wydawnictwo „Nasza Księgarnia", Warszawa 2008 r.
Skład i przygotowalnia: Sachowicz DTP Studio
Druk: Pabianickie Zakłady Graficzne S.A.